Nicole Payan 6°D

Le petit chat Miroir

Annette Béguin

LE PETIT CHAT MIROIR

Adaptation très libre du « Petit chat Miroir », de Gottfried Keller

Illustrations de Harvey Stevenson

Neuf
l'école des loisirs
11, rue de Sèvres, Paris 6e

Gottfried Keller (1819-1890). Ecrivain suisse de langue allemande connu surtout pour son roman autobiographique *Henri le Vert.* Il a écrit de nombreuses nouvelles dont *le Petit Chat Miroir,* publié dans un recueil intitulé *les Gens de Seldwyla (1874).* Seldwyla représente Zurich, la propre ville de Keller, dans laquelle il occupa pendant quarante ans le poste important de chancelier du canton. Le style de Keller se signale par un humour tendre, une ironie aimable, en particulier dans l'évocation qu'il fait de sa ville et de l'atmosphère qui y règne.

Annette Béguin. Enseignante à l'Ecole normale de Lille, connue surtout pour ses recherches pédagogiques sur la lecture (cf. *Lire-Ecrire, pratique nouvelle de la lecture au collège,* l'école des loisirs, 1981). Elle a animé de nombreux groupes de travail théâtral aussi bien d'adultes que d'enfants. Depuis 1978 elle a écrit et monté plusieurs spectacles avec le Théâtre du Jeudi, une troupe de la région lilloise (*Francinet, Thyl Ulenspiegel, les Lotophages*...).

Dans *le Petit Chat Miroir,* elle s'inspire très librement du texte de Keller non pas pour rendre compte des péripéties que ce dernier fait subir à son héros, mais pour essayer de donner un équivalent théâtral de l'humour qui caractérise ce conte.

Harvey Stevenson est américain. Il est né en 1960. Depuis 1986 il vit à Paris avec sa femme et son fils.

Pour Anne et Sylvie

Loi n° 49.956 du 16 juillet 1949 sur les publications
Destinées à la jeunesse : mars 1987
Dépôt légal : juin 2002
Imprimé en France par Mame Imprimeurs à Tours

Liste des personnages:

Pineiss,
sorcier municipal

Hul
le hibou du sorcier

Miroir
chat de gouttière

La sorcière

La chatte

La lune

Trois matous

Le notaire

La scène se passe tantôt dans la rue, tantôt chez Pineiss, tantôt sur le toit. La solution idéale pour préserver la rapidité des enchaînements consisterait à utiliser un décor simultané.

Nous sommes (en principe!) au XVIe siècle.

Scène 1
Le pacte

VOIX EN COULISSE : Attends un peu que je t'y reprenne, sale chat ! Je te ferai passer le goût de la crème, moi ! Vaurien, galeux, fainéant, voleur !...

(Le chat atterrit sur scène, comme catapulté par un coup de pied.)

MIROIR *(Il se frotte les membres.)* : Aïe !... Quelle humiliation ! Plus le moindre petit morceau à me mettre sous la dent ! Si je vole, c'est que je ne peux plus faire autrement ! Ah ciel ! Dans quelle boue suis-je descendu ! *(Se redressant tout à coup :)* Eh ! Que vois-je là ? Une souris ! Je l'aurai ! Là ! Je la tiens... Hélas ! La faim me donne des hallucinations...

(Au public :) Personne n'aurait dans sa poche un petit reste de viande ?... Une croûte de pain fera l'affaire... Allons, un geste, par pitié pour un pauvre matou qui a perdu sa maîtresse !... Je vous en supplie à genoux... Non ?... Ils ne veulent rien entendre ! C'est bon ! Puisque c'est comme ça, il ne me reste plus qu'à me coucher là et à mourir sous vos yeux !... *(Il s'allonge.)*

(Pineiss entre, tenant un grand bocal dont il examine le contenu.)

PINEISS : Voyons, voyons... Je n'ai pas oublié la bave de crapaud... J'ai mis les trente-trois langues de serpent, et pourtant... pourtant... En récoltant les toiles d'araignées à la pleine lune j'obtiendrais un meilleur résultat, mais... Non !

Il manque quelque chose… Quelque chose d'onctueux… Voyons, voyons… *(Il goûte.)* Ah diable ! Je finirai bien par arriver à… Oh !… *(Il trébuche sur le chat et manque de renverser le bocal.)* L'imbécile !… Mais c'est le chat Miroir, on dirait ? Tu as failli me faire renverser mon bocal ! A-t-on idée de se coucher comme ça au beau milieu de la rue ? Eh bien, réponds ! Qu'est-ce que tu fais là ?

MIROIR *(très résolu)* : Je suis désespéré, je meurs !

PINEISS *(ironique)* : Pas possible ! Toi qui passais toutes tes journées à méditer sur les toits… Où donc est passée ta belle philosophie ?

MIROIR : Vous le savez fort bien ! Depuis que ma maîtresse est morte, ma vie est un calvaire. Moi qui dormais sur la plume et buvais tous les jours ma crème dans une tasse en porcelaine, j'en suis réduit à fouiller les poubelles et à laper l'eau des flaques !

PINEISS *(ironique)* : Diable ! Sa majesté des gouttières doit se résigner à une condition plus modeste ! *(Changeant de ton :)* Allons ! Ta défunte maîtresse te gâtait trop ! Tu as mené jusque-là une vie bien trop luxueuse pour un chat. Débrouille-toi comme les autres ! Chasse la souris pour vivre et débarrasse-nous le plancher !

MIROIR *(s'accrochant à Pineiss)* : Monsieur Pineiss, vous qui êtes sorcier municipal, vous devez bien savoir que dans cette ville plus personne ne veut s'encombrer d'un chat ! Les pièges à rat sont tellement plus économiques !

PINEISS : Bah ! Un chat retombe toujours sur ses pattes ! Tu t'en sortiras ! Allons, laisse-moi passer !

MIROIR : Je n'ai plus la force de chasser. Je tiens à peine sur mes pattes ! Ma maîtresse m'avait appelé Miroir à cause de mon poil brillant. Voyez ce qu'il en reste !... Tâtez vous-même ! *(Il lui prend la main et l'oblige à tâter.)*

PINEISS : Veux-tu bien me laisser ? J'ai autre chose à faire qu'écouter tes lamentations ! Il faut absolument que je termine cette pommade contre les rhumatismes et il me manque quelque chose pour... Oh ! oh ! Il me vient tout à coup une idée... Je pense à un ingrédient nouveau... (*Tâtant toujours le ventre du chat :)* Il n'y en a pas beaucoup pour l'instant mais avec un peu de patience...

MIROIR : Eh ! Vous me chatouillez !

PINEISS : Oui... Miroir, je viens d'avoir une idée extraordinaire ! Je vais faire fortune, je le sens, et toi, tu vas m'aider !

MIROIR : Moi ?

PINEISS : Oui, toi ! Ecoute, chat ! J'ai un marché à te proposer.

MIROIR : Un marché ? *(Au public :)* Peut-être vais-je enfin manger à ma faim.

PINEISS : Veux-tu que je t'achète ta graisse ?

MIROIR : Eh ! Monsieur Pineiss veut plaisanter ?

PINEISS : Nullement. C'est très sérieux. J'ai besoin de graisse de chat pour mes sorcelleries ; mais elle doit m'être cédée légalement et volontairement par les honorables messieurs chats ; sinon elle ne vaut rien. C'est une affaire très avantageuse pour un brave petit matou dans ta situation. Entre à mon service ; je te nourrirai magnifiquement ; je t'engraisserai et te rendrai rond comme une boule avec des saucisses et des cailles rôties. Il pousse même sur mon toit une herbe excellente, tendre, fine, verte comme l'émeraude. Elle te guérira lorsqu'avec ma bonne chère tu auras attrapé une indigestion. Ainsi tu resteras en parfaite santé, et tu me fourniras, un jour, une graisse de qualité supérieure.

MIROIR : Jusqu'à présent ce n'est pas mal, Monsieur Pineiss, mais...

PINEISS : Quoi ?

MIROIR : Pour vous céder ma graisse, je dois perdre la vie !

PINEISS : Evidemment.

MIROIR : Alors comment pourrai-je toucher mon salaire et en profiter, puisque je serai mort ?

PINEISS : Toucher ton salaire ? Mais ton salaire, tu le reçois précisément sous la forme des repas délicieux et abondants avec lesquels je t'engraisserai ! L'affaire se comprend d'elle-même : je te nourris et en échange tu me donnes ta graisse. Mais je ne veux pas te forcer... *(Il fait mine de s'en aller.)*

MIROIR : Attendez !... Il faut que vous m'accordiez au moins un petit délai passé le moment où je serai devenu suffisamment rond et gras. Je ne vais quand même pas être obligé de... disparaître dès que j'aurai atteint ce stade si agréable ! Je veux en profiter un peu !

PINEISS : Soit. Je ne veux pas me montrer inhumain. Tu jouiras donc de ton agréable état jusqu'à la pleine lune, mais pas plus longtemps.

MIROIR : Dans ces conditions... j'accepte !

PINEISS *(se frottant les mains)* : Ah ! ah ! Nous allons rédiger immédiatement le contrat. *(Il sort de sa poche divers objets et finit par trouver du papier, une plume et un encrier.)* Je soussigné Miroir, chat de gouttière de mon état, m'engage à céder toute ma graisse au sorcier municipal Pineiss. En contrepartie, ledit Pineiss s'engage à me nourrir copieusement et à me loger confortablement jusqu'à ce que je sois devenu très gros et très gras. Je jouirai de cet agréable embonpoint jusqu'à la pleine lune. A cette date, Pineiss pourra faire ce qu'il voudra de moi. Lu et approuvé, etc., etc... Signe !

VOIX OFF : Ne fais pas cela, Miroir ! Tu es perdu !

MIROIR *(regardant vers le ciel)* : Je meurs de faim ! Il est trop tard. Je ne peux plus faire autrement.

(Pendant qu'il signe, coup de tonnerre.)

PINEISS : Eh, tu n'écris pas mal, pour un chat ! Eh ! eh ! eh ! Tu peux maintenant venir déjeuner chez moi, mon cher matou. On mange à midi précis.

MIROIR : A votre service, cher Monsieur Pineiss !

(Ils sortent.)

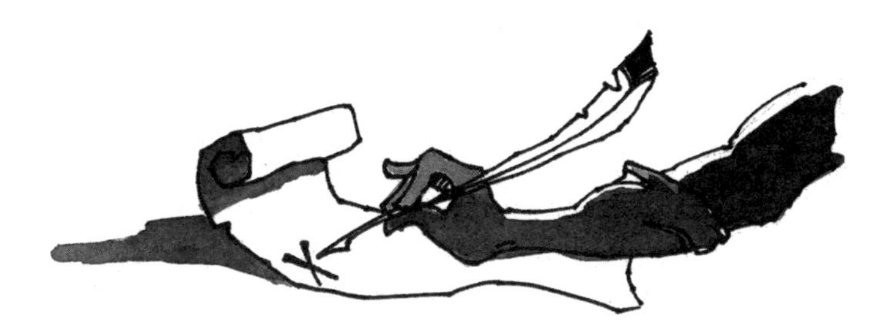

Scène 2
La belle vie

(Chez Pineiss; Pineiss, Miroir, Hul.)

PINEISS *(se frottant les mains)*: Eh! eh! Voilà mon petit chez-moi! J'espère que tu t'y plairas. Tu vas te refaire une santé. Voyez-moi ça! Ça n'a que la peau sur les os! Il faut que ça change, eh! eh! Installe-toi, prends le fauteuil!

(Il bat un peu le fauteuil dont il sort un nuage de poussière.)

MIROIR *(regardant autour de lui)*: C'est un endroit… original.

PINEISS: N'est-ce pas, n'est-ce pas! Tu verras que tout y

est parfaitement fonctionnel et ordonné malgré les apparences, hi ! hi !... Mais je parle, je parle, et tu as le ventre vide !

MIROIR *(examinant un bocal)* : Bave de crapaud 1827.

PINEISS : Un grand cru, eh ! eh ! Un grand cru !

MIROIR *(reniflant une casserole)* : Pouah ! Quelle odeur !

PINEISS : Laisse donc mes langues de vipères ! Elles n'ont pas encore suffisamment macéré dans l'urine de vache !

MIROIR : Miséricorde ! J'ai si faim que je serais bien capable d'en manger !

PINEISS : Laisse ce plat, malheureux ! Cela m'a coûté une fortune ! Pour toi, quelques cailles rôties feront l'affaire.

MIROIR : Des cailles rôties ! Ciel !

(Il tombe en faiblesse dans le fauteuil. Pineiss lui apporte une table, lui noue une serviette autour du cou et le sert.)

PINEISS : Je les avais préparées pour moi, mais j'ai un jambon en réserve. Je m'en contenterai.

MIROIR : Dieu ! C'est bien vrai ! Je ne rêve pas ? Pincez-moi ! Des cailles ! De *vraies* cailles ! *(Il se jette dessus et mange avec avidité.)*

PINEISS : Une lichette de lait pour faire passer le tout ?

MIROIR *(la bouche pleine)* : Hum ! Vous parliez aussi d'un jambon ?

PINEISS : Oh ! oh ! Mon gaillard, je vois que tu es pressé de remplir notre marché ! Tout de suite, mon ami, j'apporte le jambon et un grand bol de crème pour le dessert. Onctueuse à souhait ! ah ! ah ! De quoi te faire friser la moustache ! *(Il sort.)*

MIROIR : De la crème ! Ah ! ma douce maîtresse ! Je me rappelle la jatte que vous déposiez devant moi, encore à moitié pleine, au moment du dessert ! Vous connaissiez mes faiblesses ; moi, je léchais très doucement, malgré mon appétit, pour ne pas éclabousser le carrelage... Je m'en souviendrai jusqu'à la fin de mes jours... qui risque de venir bientôt si je continue à me livrer à de tels festins. Je me sens lourd comme une outre pleine ! *(Il rote.)* Bah ! Ne pensons qu'à l'instant. Nourri, logé, servi... Que demander de plus ? *(Il rote.)*

PINEISS : Voilà la crème ! Eh ! une petite indigestion, on

dirait ? Ne bouge pas, ne te fatigue pas ! Je vais te chercher de l'herbe sur le toit. Repose-toi, eh ! eh ! *(Il sort.)*

HUL *(qui jusque-là était resté immobile)* : Puis-je me permettre de vous dérober cette petite aile qui reste au coin de votre assiette ?

MIROIR *(sursautant)* : Eh ! Qui êtes-vous ? On ne nous a pas présentés, je pense ?

HUL : Pourquoi Pineiss se serait-il donné la peine de me présenter ? Je ne suis qu'un meuble ici. Je sers l'image de marque. Pas de sorcier sans hibou, c'est connu. Je fais partie du tableau au même titre que la marmite et la boule de cristal.

MIROIR : Ne soyez pas amer. Allons, prenez cette aile de caille et dites-m'en des nouvelles !

HUL *(boudeur)* : Excellent, bien sûr !

MIROIR : C'est la maison rêvée, ici.

HUL : Vous croyez ça, vous ?

MIROIR : On y mange comme un prince ; on y boit comme un roi et on doit y dormir... comme un dieu. *(Il s'étire.)* Et cela en n'ayant rien à faire. Le rêve ! Je me sens libre comme jamais.

HUL : Pourtant, la plume qui manque à mon aile droite me dit que Pineiss a dû vous faire signer quelque...

MIROIR : Pas de pessimisme hors de saison ! Pour l'instant la vie est belle, j'en profite !

HUL : Vous vous fiez trop aux apparences. Vous pourriez

déchanter tantôt... Mais je ne le souhaite pas; j'ai un faible pour vous.

MIROIR : Les hiboux et les chats se ressemblent un peu ! Nous avons le même regard, la nuit, pour surveiller nos territoires de chasse. Sur ce point je ne vous ferai plus concurrence ! Je n'ai plus besoin de chasser pour vivre.

HUL : Si les hiboux ressemblent aux chats, ils ont plus de jugeote. Je chasse encore, moi ; à mon âge ! Jamais cet avare de Pineiss ne me donne le moindre reste. Mais au moins, quand je mourrai, ce sera de mort naturelle. Je n'ai rien signé, moi ! Il vous tient maintenant. Je préfère jeûner, quitte parfois à récupérer une aile de caille sur l'assiette d'un invité.

MIROIR : Tenez, il reste aussi un peu de blanc.

HUL : Trop aimable, je l'accepte pour vous faire plaisir !

MIROIR : Ne vous gênez pas. Revenez-y à l'occasion. Il y en aura toujours bien assez pour deux.

HUL : Merci. Ne m'en veuillez pas si je suis parfois d'humeur acariâtre. La vie ici n'est pas rose, c'est le moins que l'on puisse dire.

MIROIR : Je vois.

HUL : Quand je dis que je sers à la décoration, c'est une façon de parler. En fait, j'aide Pineiss dans toutes ses occupations.

MIROIR : Que fait-il au juste ?

HUL : Le métier de sorcier municipal n'est pas de tout repos. Il guérit les gens, détruit les punaises, arrache les dents,

prête de l'argent à intérêt, répare l'horloge de la ville... Notez bien qu'il ne pratique la sorcellerie que comme un exercice scientifique.

MIROIR : Et vous ?

HUL : Moi ? Je suis son hibou à tout faire ! Il faut signer un papier régulier ou un peu... irrégulier ? « Hul ! Vite, une plume ! – Voilà ! voilà ! Ouille ! – Ne t'inquiète pas, ça repousse ! » Vite dit, à mon âge ! Après cela, j'en ai pour une semaine à voler de travers !

Et pour les consultations... « Voilà Mme Sisèche, Hul ; vite, en position ! » Vite, vite ! Il n'a que ce mot à la bouche ! Je me poste en haut de l'escalier et quand elle passe, je bats des ailes, hou ! hou !... Vous devriez entendre son hurlement : hiiii ! Elle me donne la chair de poule ! Il paraît que je l'impressionne et qu'ensuite elle crache plus facilement les trois pièces d'or que mon maître lui demande. Et ma récompense à moi, dans tout ça ? Un bon coup de parapluie au passage quand elle quitte la pièce.

Sans compter les jours où ce cher Pineiss s'en va faire sa récolte d'herbe en laissant une potion mijoter sur le feu ! Je suis chargé d'entretenir la braise à coups d'aile ! Trois heures au moins à chaque fois ! Ensuite je ne dors plus, à force de courbatures. Et quand il rentre, vous croyez qu'il va me remercier ? *(Imitant la voix de Pineiss :)* « Ça va, Hul, tu peux sortir maintenant. Va te chasser une souris !... » Et pendant que moi, je me gèle les pattes sur le toit, il s'attable devant un pâté !

MIROIR *(regardant autour de lui)* : Je vois.

HUL : Je ne sais pas pourquoi je vous fais ces confidences... Eh ! Que cherchez-vous ?

MIROIR : J'ai un petit creux à l'estomac !

HUL : Comment, déjà ?

MIROIR : Vingt et un jours.

HUL : Quoi ?

MIROIR : J'ai un appétit de trois semaines à combler.

HUL : Ne te presse pas trop cependant. En confidence et tout à fait entre nous, j'ai entendu parler d'une affaire de graisse de chat qui...

MIROIR : Chut ! Tais-toi, je ne veux rien entendre. *(Il crie :)* Pineiss, à manger ! J'ai faim ! Une faim terrible ; à dévorer un hibou tout cru. *(Hul maugrée et hausse les épaules.)* Pineieieiss !...

PINEISS *(off)* : Voilà, voilà...

Scène 3
Le couteau

(Pineiss, au milieu du public.)

PINEISS: Attention, voyons! Ne me bousculez pas! Ce pourrait être dangereux! Hi! hi! hi! Vous me demandez pourquoi? Hi! hi! hi! J'ai sous mon manteau quelque chose... Quelque chose de fort utile! Mais je n'en dirai pas plus!

Allons! Vous voulez vraiment savoir ce que j'ai sous mon manteau? Hi! hi, ha! ha! Je ne puis plus me retenir de le dire! Je suis trop heureux! Regardez!

(Il sort un grand couteau qu'il brandit.)

Eh quoi ! Vous avez peur ? Ce n'est qu'un couteau de boucherie, un grand couteau que j'ai emprunté au boucher du coin. Pour quoi faire ? Décidément, vous voulez savoir tous mes petits secrets. Hi ! hi ! hi !

Surtout n'allez pas le répéter !... Ce couteau doit servir à... bzz bzz bzz *(il chuchote)*. Comment, vous n'avez rien compris ? C'est clair pourtant ! Voilà un mois que je nourris chez moi le chat Miroir. Eh bien, je crois que je vais rentrer dans mes frais. Il est presque à point. Encore quelques cailles rôties, quelques jattes de crème, quelques souris grillées parsemées d'herbes aromatiques et le tour sera joué. *(Il caresse le couteau.)* J'imagine l'épaisse couche de graisse accumulée sur son petit ventre rebondi.

Madame Trotine sera contente. Je l'entends d'ici : « Mon bon Monsieur Pineiss, vous avez bien travaillé pour moi. Quel grand pot de pommade à la graisse de chat ! Mes rhumatismes vont déjà mieux. Tenez, pour la peine voilà trois florins d'or ! »... Non, quatre florins d'or. Non. Cinq. Tous ces florins d'or pour moi seul... Ah ! Pineiss, Pineiss, tu es un homme remarquable ! Un génie ! Comment ? Que dites-vous ? Moi, cruel ? Je ne suis pas cruel, je suis juste ! Un marché est un marché. Voilà un mois que Miroir mange à mes frais. Bientôt, chaton mon mignon, il va falloir régler la note ! Allons vite cacher ceci en attendant le moment fatal.

Scène 4
Le régime

(Chez Pineiss; Hul, Miroir.)

HUL: Bonjour Miroir! Comment vas-tu? Oh! qu'est-ce que c'est?

MIROIR *(indifférent, accablé)*: Bah! Une bagatelle!

HUL: Les joujoux qu'il t'offre en occupent de la place! Bientôt on ne pourra plus poser une patte dans cette pièce sans se heurter à une de ces machines... A quoi sert celle-là?

MIROIR: A chasser.

HUL : A chasser ? Tu veux rire ?

MIROIR : A faire semblant de chasser, si tu préfères. C'est tout simple. Là ce sont des montagnes, là une petite forêt. Regarde : aux branches des arbres il a accroché des cailles et des moineaux tout rôtis. Ces trous-là, dans la montagne, ce sont des trous à souris.

HUL : Je ne vois pas de souris.

MIROIR : Enfantin, cher ami. Tire sur ce fil.

HUL *(tire)* : Qu'est-ce que c'est que ça ? Hum, la bonne odeur !

MIROIR : Souris vidée, bardée de lard, rôtie avec du thym et délicatement attachée à un fil.

HUL *(attrapant la souris)*: Tu permets?

MIROIR: Je t'en prie.

(Hul dévore la souris avec avidité.)

HUL: Hum, délicieux! Il ne manque plus qu'une petite rivière avec des goujons frits!

MIROIR: Elle est là.

HUL: Non? C'est incroyable! Ce qu'il est gentil avec toi!

MIROIR: Trente-cinq centimètres de tour de taille...

HUL: Que dis-tu?

MIROIR: Je dis que mon tour de taille est passé à trente-cinq centimètres! Comprends-tu ce que cela veut dire?

HUL *(faiblement)*: Ces jeux, ces coussins, cette nourriture... C'est tout de même enviable, non? Plus besoin de faire le moindre effort. Tu as le plaisir de la chasse sans en avoir les inconvénients. Tout à domicile et en s'amusant! La belle vie!...

MIROIR *(accablé)*: Ah! Tu sais bien ce que cela veut dire! Plus d'exercice, plus de promenades sportives. Je prends du ventre et si je prends du ventre, bientôt, pfft... *(Il mime le couteau qui égorge.)* Quel contrat misérable et vil j'ai signé! J'ai prolongé un peu ma vie pour la perdre encore plus cruellement ensuite. C'est indigne d'un véritable matou! Maintenant que mes forces sont revenues, je suis capable d'envisager clairement la situation. Elle est terrible, la situation! Terrible! Trente-cinq centimètres de tour de taille! Je n'ai plus que quelques heures à vivre.

HUL : Je te croyais plus énergique. Il doit bien y avoir un moyen de te sortir de ce traquenard.

MIROIR : Voilà des jours que je cherche comment me sortir de cette vilaine histoire.

HUL : Une seule solution.

MIROIR : Laquelle ?

HUL : As-tu du courage ?

MIROIR : A revendre ! Que veux-tu dire ?

HUL : Es-tu capable de résister froidement à la tentation ?

MIROIR : Oui, oui... Viens-en au fait !

HUL : Je ne sais si tu tiendras jusqu'au bout, mais...

MIROIR : Au bout de quoi ?

HUL : Bien sûr, tu bénéficieras de mon soutien moral !

MIROIR : Ciel ! Il me fera mourir d'impatience !

HUL : De mon soutien physique, même. Je me charge de faire disparaître de ta vue ce qui risque de te troubler.

MIROIR : A la fin vas-tu me dire oui ou non comment tu comptes me sauver, espèce de vieille chouette pleine de puces !

HUL : Je te sauve et tu m'injuries ?

MIROIR : Bon... Excuse-moi.

HUL : Ton problème est simple. Si tu grossis, pfft... C'est l'exécution assurée. Eh bien, mon petit Miroir, une seule solution : *Fais un ré-gime !*

MIROIR : Un régime ?

HUL : Bien sûr.

MIROIR : C'est tout ce que tu as trouvé ?

HUL : Eliminer les viandes grasses, se contenter de quelques légumes verts, éviter les aromates...

MIROIR : Mais cela fait trois jours que je n'ai quasiment rien mangé !

HUL : Comment ?

MIROIR : Cette histoire m'a cassé l'appétit. Ta solution ne vaut rien : je ne mange plus mais mon poil reste superbe et mon ventre rebondi. Je suis en pleine forme. C'est désespérant !

HUL : Le manque d'exercice, c'est ce qui te perd. Cher ami, je te prescris une promenade quotidienne sur le toit, assortie de quelques gambades.

MIROIR : Tu radotes ! Tu sais bien que la fenêtre est toujours fermée !

HUL : Je ne parle jamais pour ne rien dire, apprends-le ! Il y a dans le toit un trou bien caché par lequel je sors quelquefois. Regarde... Tu es gros, mais en rentrant un peu le ventre tu devrais passer. Un peu de gymnastique sur les tuiles et hop, tu peux revenir sans crainte croquer une ou deux souris ; ta ligne n'en souffrira plus.

MIROIR : Pourquoi ne me l'as-tu pas dit plus tôt ? Hul, tu es un véritable ami.

HUL : Peuh ! Un vieux radoteur !

MIROIR : Le meilleur de mes amis !

HUL : Une vieille chouette pleine de puces !

MIROIR : Mille fois pardon, mon frère, et mille fois merci ! Pineiss ne revient pas avant ce soir. Une deuss, une deuss... *(Il fait quelques mouvements d'échauffement.)* Crois-tu que cela suffira ?

HUL : En tout cas cela fera gagner du temps !

MIROIR : A tout à l'heure. Je m'en vais essayer de retrouver ma ligne.

Scène 5

La rue aux matous

(Dans la salle, c'est-à-dire une rue au clair de lune. Matou 1, 2 et 3. Ce dernier est borgne.)

MATOU 2: La lune n'est pas encore tout à fait pleine.

MATOU 3: Elle grossit, pourtant.

MATOU 1: Elle s'arrondit.

MATOU 2: Il y a encore de l'ombre dans les rues.

MATOU 3: Le toit de Pineiss est bien éclairé.

MATOU 1: Bien illuminé.

MATOU 2: La chatte de la sorcière y prendra son bain de lune.

MATOU 3: Nous l'attendrons.

MATOU 2: Nous la forcerons.

MATOU 1: A faire un choix.

MATOU 3: Entre nous trois.

(Ils rient un temps. Matou 3 continue plus fort seul. Les deux autres le regardent, soudain sérieux.)

MATOU 2: Pourquoi ris-tu ?

MATOU 1: De qui te moques-tu ?

MATOU 3 : C'est moi qu'elle choisira. Les chattes sont folles de mes oreilles déchiquetées. Je suis le plus brave ! J'ai déjà mis en fuite plus de dix mille chiens et même quelques hommes. Quant aux autres matous, tous s'inclinent devant ma force. Il suffit que je les fixe de mon œil de feu pour les mettre en fuite. Mes muscles sont d'acier. Je suis toujours prêt à bondir, prêt à griffer !

MATOU 2 : A bondir, vraiment ?

MATOU 1 : A griffer, hein ! *(Ils se font menaçants.)*

MATOU 2 : Voyez comme il se flatte lui-même !

MATOU 1 : Comme il se vante !

MATOU 3 : Allons, allons, frères ! Je ne parlais pas pour vous. Nous sommes compagnons et nous ne faisons qu'un ! D'accord, jusqu'à la mort !...

MATOU 2 : J'aime mieux ça.

MATOU 1 : Je préfère.

MATOU 3 : Attention ! Il y a encore des hommes dans la rue. Regardez, là, là... Attention ! Serrez-vous contre les murs. Voyez ! La lune étire leur ombre.

MATOU 2 : Ils paraissent encore plus grands.

MATOU 1 : Plus impressionnants.

MATOU 3 : La chaleur de l'été les incommode. Ils cherchent le frais.

MATOU 2 : Prenons garde en traversant leur chemin de ne pas prendre un coup de pied au ventre.

MATOU 1 : Ou un coup de bâton.

MATOU 3 : Les toits nous appartiennent. Montons vite !

MATOU 1 : Dépêchons-nous.

MATOU 2 : La lune rousse réclame amours et combats.

MATOU 1 ET 3 : Amours et combats !

Scène 6
Rencontre amoureuse sur le toit

(Sur le toit de Pineiss ; Miroir, la chatte, la sorcière, les trois matous.)

MIROIR : Lune protectrice des chats, jette des éclats d'or sur mon poil luisant, verse ton flux bienfaisant sur mon corps électrique. Par toi l'amour me parle. Un cri monte de mon ventre de mâle. Nuit douce en qui je me confonds, envahis-moi de tes sortilèges.

Hélas ! la mort est proche et lorsque tu auras atteint ta plénitude, ô lune, le couteau du sacrifice risque de se préparer pour moi. Allons, trêve de philosophie, du sport, Miroir, si tu veux voir la prochaine lune !

Une deuss, une deuss...

Ah ! L'air est doux à respirer. Tendre nuit d'été... Les tuiles chaudes s'offrent à mes membres alanguis. Un feu brûle ma poitrine et saisit ma gorge de matou. Courage, Miroir, tu auras plus tard le temps de te reposer.

Une deuss, une deuss...

Ouf ! J'ai perdu mon souffle. Je suis réellement empâté. Hum ! Ce bourrelet-là va disparaître. Je le veux. Mais... quel est donc ce parfum qui soudain flotte autour de moi ? Une présence féminine me sollicite... Allons, je rêve. Voilà trop longtemps que je vis en célibataire ! Réveille-toi, Miroir !

Une deuss, une deuss...

Je ne rêve pas ! Là, à la fenêtre de la maison voisine... O céleste apparition ! Quelle grâce candide, quelle... Ah ! Je brûle déjà de la rencontrer.

MATOU 1 : Il est nouveau celui-là.

MATOU 2 : Jamais vu dans le quartier.

MATOU 3 : Il est noir, ça porte malheur.

MATOU 1 : Ça flanque la poisse.

MATOU 2 *(s'approchant)* : Tu sais ce que c'est qu'un territoire de chasse ?

MATOU 3 : Tu sais que le territoire des autres c'est sacré ?

MATOU 1 : C'est réservé ?

MATOU 2 : Il n'a pas l'air de savoir, les gars ! Je crois qu'on va devoir lui apprendre !

MIROIR : Holà ! Tout doux ! Je ne vous ai rien fait !

MATOU 2 : C'est pour elle que tu viens tourner ici ?

MATOU 3 : Tu te fais des idées !

MATOU 1 : Des illusions !

MATOU 2 : Elle est comme nous.

MATOU 3 : Elle aime pas les étrangers.

MATOU 1 : Les métèques.

MIROIR : Eh là ! Qu'est-ce que vous me voulez ?

MATOU 3 *(riant)* : Il demande ce que nous voulons !

MATOU 1 : Ce que nous désirons !

MATOU 2 : L'imbécile !

MATOU 3 : Tiens !

MATOU 1 : Tiens !

MIROIR : Oh !... Ah !... Attendez un peu !

(Il se bat contre les trois et les met en fuite.)

MATOU 3 : Il nous a battus.

MATOU 1 : Il nous a eus.

MATOU 2 : Filons d'ici. Il est trop fort pour nous !

(Ils sortent.)

LA CHATTE : Vous êtes nouveau ?

MIROIR : Euh...

LA CHATTE : Vous savez vous battre ! Le souffle un peu court peut-être, mais quel coup de griffe !

MIROIR : Pour vous...

LA CHATTE : Cela m'amuse que vous leur ayez fichu une raclée.

MIROIR : Ils vous importunaient, je...

LA CHATTE : Nous ne les reverrons pas de sitôt. Oh ! mais votre oreille saigne ? Pauvre ami... *(Elle l'embrasse sur l'oreille.)*

MIROIR : Ah ! Madame, cette caresse me récompense de tous mes efforts.

LA CHATTE : Et beau parleur, de surcroît ! Comme votre poil est brillant !

MIROIR : Vous êtes belle.

LA CHATTE : Savez-vous chanter au moins ?

MIROIR : Ma mie où vas-tu
Où vis-tu
Ma douce inconnue
Où dors-tu
Dans la nuit d'août ?

LA SORCIÈRE *(jetant un seau d'eau)* : Vous avez fini votre crincrin, sales matous ! Je vais vous rafraîchir les idées, moi ! Attendez un peu, je vais vous échiner avec mon balai ! Où sont-ils passés ?... Vous ne perdez rien pour attendre, sales bêtes ! *(Elle rentre en grommelant.)*

LA CHATTE : Mon Dieu, vous êtes mouillé ! Hi ! ihi !

MIROIR : Drôle, très drôle. J'en ai pour une heure à me remettre en état.

LA CHATTE : Pardonnez-moi, c'est plus fort que moi ! Hihihi !

MIROIR : Pineiss risque de s'apercevoir de quelque chose.

LA CHATTE : Une déclaration d'amour et crac ! Hihihi !

MIROIR : La bonne plaisanterie, en effet. Vous avez le sens de l'humour !

LA CHATTE : « Où dors-tu dans la nuit d'août », et crac ! Hihihi !

LA SORCIÈRE *(ouvrant la fenêtre)* : Ça recommence ? *(Voyant la chatte :)* Tu veux que je vienne te chercher par la peau du dos, dévergondée ! *(Un temps. Elle referme la fenêtre.)*

MIROIR : C'est à moi qu'elle ose parler sur ce ton ?

LA CHATTE *(soudain calmée)* : A moi !

MIROIR : A vous ?

LA CHATTE : C'est ma maîtresse.

MIROIR : Votre maîtresse à vous ?

LA CHATTE : Oh ! je sais, elle est terriblement vulgaire. Je ne l'ai pas choisie ; on m'a livrée à elle dès l'enfance.

MIROIR : Il me semble que je l'ai déjà rencontrée. Voyons... Oui ! Elle passait chaque jour devant chez nous pour aller à l'église. En noir, le nez pincé, le sourcil froncé... C'est une vieille bigote qui gronde et sermonne tout le monde.

LA CHATTE : Bigote, laide, orgueilleuse, avare, oui. Elle n'a aucun ami. Ses voisins la détestent. On dit qu'elle est sévère et près de ses sous, mais moi je sais que derrière cette façade se cachent des vices plus horribles encore.

MIROIR : Plus horribles encore ? Serait-elle... gourmande ?

LA CHATTE : Ce n'est pas un vice.

MIROIR : C'est vrai. Voleuse, alors ?

LA CHATTE : Pire encore !

MIROIR : Pire encore ! Bigre ! Je donne ma langue au diable.

LA CHATTE : Chut !... Ne prononcez pas ce mot, justement !

MIROIR : Vous voulez dire que...

LA CHATTE : Oui ! C'est une sorcière et de la pire espèce !

MIROIR : Ciel !

LA CHATTE : A chaque pleine lune, elle prend son balai pour se rendre au grand sabbat !

MIROIR : Au grand sabbat !

LA CHATTE : Là où vont préparer leurs méchantes magies tous les damnés sorciers et sorcières que compte ce pays.

MIROIR : Elle va au grand sabbat !

LA CHATTE : Oui, presque nue, en chemise, à cheval sur son balai. Elle se place devant la fenêtre et bzz ! La voilà partie à travers les étoiles. Elle va au grand bal de Satan.

MIROIR : Brr ! Si toutes les sorcières lui ressemblent, cela doit faire un jolie réunion : nez crochu, dents noircies, œil en bouton de bottine...

LA CHATTE : N'en croyez rien ! Avant de partir, elle a soin de s'enduire le corps d'un onguent qui fait d'elle pour un jour entier la femme la plus jolie du monde.

MIROIR : Comment ? Je n'ai jamais vu de visage aussi repoussant !

LA CHATTE : Elle se transforme à volonté. Vous ne la reconnaîtriez plus. Ses longs cheveux ondoient sur ses épaules ; son visage devient lisse comme un bouton de rose et sa bouche mignonne donne envie de la baiser à tous les hommes qui l'aperçoivent.

MIROIR : Et cela rien qu'en s'enduisant avec une pommade ?

LA CHATTE : Elle dit aussi une formule magique, bien sûr. Mais ce sortilège ne dure qu'un seul jour. Dès la nuit suivante,

sa beauté se défait, sa voix redevient aigre, sa figure hideuse et son corps raide comme une planche à pain.

MIROIR : Quel spectacle terrible ce doit être !

LA CHATTE : Hélas ! J'y assiste à chaque fois. Ces jours-là, elle est si excitée qu'elle oublie de me donner à manger. Si je m'approche d'elle, la voilà qui donne des ordres à son balai volant : « Bats-moi un peu cette sale bête, cours-lui sus, allons ! » Et le balai de me poursuivre comme si j'étais une vulgaire carpette.

MIROIR : Une chatte si belle et si noble !

LA CHATTE : Mon calvaire est impossible à décrire !

MIROIR : La vie est trop injuste ! Moi-même...

LA CHATTE : Votre maître ?...

MIROIR : Hélas, j'avais jadis la plus douce des maîtresses. Elle est morte, et depuis mon sort a bien changé !

LA CHATTE : Votre nouveau maître, c'est Pineiss, le sorcier municipal, n'est-ce pas ?

MIROIR : Il n'est pas mon maître et cependant je ne suis plus un chat libre. J'ai conclu un horrible pacte. « Je te nourris gratis, m'a-t-il dit, jusqu'à la nouvelle lune. En échange, tu me donneras ta graisse. »

LA CHATTE : Ta graisse ?

MIROIR : Hélas ! Le tonnerre, les éclairs, la faim qui me tenait le ventre, que sais-je... J'ai signé !

LA CHATTE : Ciel !

MIROIR : Bientôt la lune sera dans sa plénitude et je ne donne pas cher de ma peau.

HUL : Miroir, rentre vite. Pineiss est de retour. Il monte l'escalier.

MIROIR : Adieu.

LA CHATTE : Au revoir ! J'aimerais vous aider à sortir de ce mauvais pas. Je… j'ai un faible pour vous.

HUL : Il va ouvrir la porte, vite !

MIROIR : J'arrive.

Scène 7

Paroles de lune

(Dans la salle, la lune.)

La lune : Je suis la lune rousse, protectrice des chats. Je suis comme un chat, moi aussi, roulée en boule dans le ciel. Je suis très inquiète pour Miroir. Si seulement je pouvais cesser de m'arrondir, mais la nature m'a ainsi faite que chaque mois je me gorge de miel blond jusqu'à ce que je sois toute ronde.

C'est pour ce jour-là que Pineiss a préparé son couteau. Pauvre Miroir.

Je suis la lune rousse qui met de la fantaisie dans la tête des gens sérieux. C'est moi, Madame, qui vous fais écrire des poèmes bleus en cachette. C'est moi, Monsieur, qui vous fais chanter en revenant du travail, le long du mur de l'usine où je joue avec votre ombre. Je suis la lune des chats amoureux qui courent la nuit sur les tuiles chaudes et jouent à cache-cache derrière les cheminées. Je leur insuffle l'ardeur des amants. A toi, Miroir, puissé-je t'inspirer le moyen de sortir de ta fâcheuse position.

Mais je deviens ronde, ronde. Je m'enivre de mon propre cercle. Je n'y puis rien. Courage, Miroir ! La solution est à ta portée, désormais !

Scène 8
L'inspiration vient du danger

(Chez Pineiss ; Miroir, Pineiss.)

PINEISS : Les souris... toujours là ! Les cailles... aussi ! Et les goujons ! Que se passe-t-il, Miroir ? Pourquoi ne manges-tu pas les bonnes choses que je te prépare ?

MIROIR : Eh ! Monsieur Pineiss, c'est parce que je me trouve mieux ainsi. Ne m'est-il pas permis de passer le peu de temps qui me reste à vivre de la façon la plus agréable pour moi ?

PINEISS : Comment ? Ton devoir est de manger, de boire et de te soigner afin de grossir et de faire de la graisse. Abandonne donc immédiatement ce régime déloyal et contraire à notre accord, ou je saurai te mettre au pas !

MIROIR : Je ne vois pas le moindre mot du contrat qui prescrive que je doive renoncer à la modération et à un genre de vie hygiénique.

PINEISS : Comment, bavard ? Tu veux me donner des leçons ? Montre-moi donc plutôt, fainéant, à quel point tu en es. Peut-être que malgré tout on pourra bientôt te dépouiller. *(Il lui tâte le ventre. Miroir le griffe.)*

PINEISS : Ah ! Il m'a griffé ! C'est ainsi que tu te conduis envers moi, brute ? Bien. Je te déclare donc solennellement et en vertu de notre contrat suffisamment gras ! *(Il lui met le couteau sur la gorge.)* Avance ! Avance, te dis-je !

MIROIR : Où m'emmenez-vous ?

PINEISS : J'ai un nouveau joujou pour toi, eh ! eh !

(Il le mène vers un objet couvert d'un drap.)

MIROIR : Ciel ! Une cage !

PINEISS : Entre là-dedans en vitesse ! Ah ! ah ! ah ! Coquin, fripon, tu croyais me posséder.

MIROIR : Vous n'avez pas le droit !

PINEISS : Pas le droit ? C'est ce que nous allons voir. Tu peux dire une dernière prière, le temps que j'aille chercher du bois pour allumer le feu sous la marmite. Ah ! ah ! ah ! A tout du suite, mon petit Miroir !

(Il sort.)

HUL : Tout est perdu ! Pauvre ami ! Je vais prier avec toi.

MIROIR : Ne dis pas de sottises. Crois-tu qu'un chat de mon espèce se laisse égorger aussi facilement ?

HUL : Je ne comprends pas.

MIROIR : Ne t'inquiète pas. Fais-moi confiance. J'ai plus d'un tour dans mon sac.

HUL : Comment crois-tu t'en sortir ?

MIROIR : Tu vas voir. J'ai un plan infaillible. A nous deux, Monsieur Pineiss !...

(Pineiss entre avec le bois.)

PINEISS : Quelle belle nuit, dehors ! Lumineuse ! Ah ! ah ! ah ! Une belle lanterne ronde éclaire la ville ! *(Il brandit le couteau.)*

MIROIR : Ciel !

PINEISS : Miroir, le temps est venu de remplir ton contrat !

MIROIR : Adieu, douces promenades sur les toits verdissants, adieu, rudes combats, adieu, douce amie si blanche...

HUL *(pleurant)* : Courage, Miroir !

MIROIR : Que faites-vous ?

PINEISS : J'allume un beau feu brillant pour faire fondre ta graisse.

HUL : Je ne peux pas voir ça.

(Pineiss aiguise son couteau en ricanant.)

MIROIR : C'est avec ce couteau que...

PINEISS *(le tirant hors de la cage)* : Allons, viens, sapristi ! Nous allons d'abord te trancher la tête et puis t'enlever la peau. Quel imbécile je fais. Je n'y avais pas pensé. Je m'en ferai un bonnet bien chaud. Peut-être préfères-tu que je t'écorche avant de te trancher la tête ?

MIROIR *(humblement)* : Non, je vous en prie, tranchez-moi d'abord la tête.

PINEISS : Tu vois que j'ai bon cœur. Je vais faire comme tu me demandes et te trancher la tête d'abord. Tu souffriras moins.

MIROIR : Ah ! Vous avez raison, Monsieur Pineiss. Je me résigne. Vous êtes un homme juste... Si seulement j'avais la conscience tranquille, moi aussi, je mourrais en paix, mais une injustice que j'ai commise me tourmente. Sans cela je quitterais volontiers ce monde de soucis, de passions et de violence. Mais cette maudite affaire m'empêche de mourir de bon cœur.

PINEISS : Une injustice, dis-tu ?

MIROIR : Trop tard maintenant. J'emporterai ce maudit secret dans la tombe. Je n'ai plus qu'à me taire.

PINEISS : Sapristi, quel péché as-tu bien commis pour te mettre dans des états pareils ? Tu mourras plus tranquille en soulageant ta conscience. Confesse-toi !

HUL *(à part)* : Moi qui croyais qu'il n'y avait pas de chat plus honnête en cette ville !

PINEISS : Confesse-toi, te dis-je !

MIROIR : Non, non, cela ne sert plus à rien.

PINEISS : Que diable as-tu donc fait ?

MIROIR : Rien du tout.

PINEISS : Peut-être m'as-tu volé ou abîmé quelque chose ?

MIROIR : ...

PINEISS : C'est cela. Tu m'as joué un mauvais tour que je ne devine même pas, mauvais diable que tu es. Les remords te tenaillent. Que m'as-tu volé ? Avoue, pendard !

MIROIR : Finissez-en, je veux quitter la vie au plus vite.

PINEISS *(à part)*: Me voilà dans de beaux draps. Il m'a volé quelque chose, l'a caché, peut-être... S'il meurt, comment récupérer mon bien? Avoueras-tu, coquin, quel crime tu as commis à mon égard? Parle, ou je t'écorche et je te mets encore tout vif dans la marmite bouillante. Vas-tu parler, oui ou non?

HUL: Parle, Miroir, je t'en supplie; cela vaut mieux.

MIROIR: Ah! Je n'ai commis aucune mauvaise action à votre égard, non! C'est au sujet des dix mille florins en or de ma pauvre maîtresse.

PINEISS: Dix mille florins en or!

MIROIR: A quoi bon discuter! Tuez-moi vite et qu'on en finisse.

PINEISS: Des florins en or, dis-tu? Où? A qui sont-ils? Parle!

MIROIR: Ils n'appartiennent à personne. Hélas! Tout justement! C'est de ma faute. Je meurs sans avoir rempli ma mission.

PINEISS: Ta mission?

HUL: Sa mission?

MIROIR: C'était à moi de leur trouver un maître. Ils appartiennent à un homme honnête et intelligent qui épousera une femme belle, bonne et fidèle. Mais dans cette maudite ville, comment trouver à la fois une femme bonne et un homme honnête et intelligent? Le péché n'est pas bien grand car c'était une mission trop lourde pour un pauvre chat.

HUL : Je ne comprends rien.

PINEISS : Tu vas parler clairement ou je commence par te couper la queue et les deux oreilles. Allons. Dépêche-toi !

MIROIR : Je vois bien que je vais devoir obéir. Pauvre Miroir, tu ne trouveras donc jamais le repos !

PINEISS : J'écoute.

HUL : Nous sommes tout ouïe.

MIROIR : Eh bien, en deux mots, voilà l'histoire : Dans sa jeunesse, ma maîtresse était une femme très belle. Lorsqu'elle allait au bal, tout le monde l'admirait et elle se plaisait à ce jeu. Elle avait, je suis bien forcé de le dire, un gros défaut. Elle était coquette et frivole. Un jour, un jeune homme qui l'aimait la demanda en mariage. Elle l'aimait elle aussi, mais s'amusa à faire la difficile. « Ah ! madame, lui dit-il, épousez-moi ou je cours me jeter dans le fleuve, qui est fort profond. » « Allez-y, mon ami, allez-y », lui répliqua-t-elle sans se laisser émouvoir. Hélas ! il alla bel et bien se noyer, non sans lui avoir laissé par une lettre les dix mille florins dont je vous parlais, et qui constituaient toute sa fortune.

HUL : Quelle mort affreuse !

MIROIR : Hélas, ma pauvre maîtresse la paya bien. Désespérée, elle renonça à la vie frivole qu'elle avait menée jusque-là. Le remords la tint enfermée dans la petite maison où je l'ai connue. Elle ne se maria jamais.

PINEISS : Et les dix mille florins en or ?

MIROIR : Cet argent lui rappelait son crime. Il devint pour

elle un objet de dégoût et elle le jeta dans le puits au fond de notre jardin.

PINEISS : Dans le puits, dis-tu ?

MIROIR : C'est bien cela. « Miroir, me dit-elle, un peu avant de mourir, je te confie une grave mission. Cet argent fera le bonheur d'une jeune fille plus aimable que moi. Trouve une jeune fille belle et bonne. Si elle épouse un homme honnête et beau, tu lui donneras les dix mille florins en cadeau de mariage. »

PINEISS : C'est dans le puits qu'elle a mis tout cet argent ?

MIROIR : Oui, Monsieur Pineiss. Mais le puits est très profond et les parois très raides. Des pierres se détachent ; c'est très dangereux. Il faut être chat pour y descendre sans péril. De plus, ma maîtresse a été formelle. Cet argent n'appartiendra qu'à celui qui épousera une femme belle et bonne. En tant qu'exécuteur testamentaire, je veillerai à ce que ses volontés soient scrupuleusement respectées.

PINEISS : Allons, soit. Nous savons où est le trésor. Un homme beau et intelligent, c'est facile à trouver. J'en connais un. Très bien, même, eh ! eh ! Il ne manque plus que la jolie femme.

MIROIR : Que voulez-vous dire ?

PINEISS : Il ne manque plus que l'aimable personne qui m'apportera en dot au matin de nos noces les dix mille florins.

MIROIR : Hum ! Ce n'est pas si simple. J'ai l'or. Je crois avoir aussi trouvé la jolie femme, mais l'homme intelligent...

PINEISS : Tu as trouvé une jolie femme ? Où est-elle ? Où se cache ma fiancée !

MIROIR : Vous voulez vraiment vous lancer dans cette entreprise, Monsieur Pineiss ?

PINEISS : Immédiatement, tout de suite, sur-le-champ et sans délai. Où est ma femme ?

MIROIR : Vous voulez lui faire la cour ?

PINEISS : Bien sûr ! Dix mille florins en or ! Hum !

HUL : Il devient fou.

MIROIR : N'oubliez pas que c'est moi l'exécuteur testamentaire.

PINEISS : Oui, oui.

MIROIR : Comment voulez-vous que je vous trouve une femme si vous m'écorchez vif ?

PINEISS : C'est vrai.

MIROIR : Voyez ce qu'il vous reste à faire.

PINEISS : Maraud ! Tu veux annuler ton contrat et sauver ta tête !

MIROIR : C'est bien naturel, non ?

HUL : Quelle habileté !

PINEISS : Et si tu me trompes, si tu me joues un de tes mauvais tours, fourbe que tu es ?

MIROIR : C'est un risque à courir.

PINEISS : Tu n'as pas le droit de me tromper. Je te l'interdis !

MIROIR : Bien, Monsieur Pineiss ! Je ne vous trompe pas !

PINEISS : Si, pourtant, je suis sûr que tu me trompes.

MIROIR : D'accord, je vous trompe.

PINEISS *(pleurnichant)* : Oh ! mon petit Miroir, ne me fais pas souffrir ainsi...

MIROIR : Ah ! « Mon petit Miroir ! » Je suis votre petit Miroir, à présent ! Vous me jetez dans une cage, vous me menacez avec la pointe de votre couteau et maintenant vous me dites : « Oh ! mon petit Miroir, ne me fais pas souffrir ainsi. »

Parlons net. L'affaire est difficile. Je vous trouverai la femme et l'or si vous annulez notre contrat et me rendez ce parchemin que j'ai signé tantôt.

PINEISS : Ah ! mauvaise tête, je suis moins cruel que tu ne le crois. Je te rends le contrat.

MIROIR *(le déchirant)* : Quel soulagement ! Vous ne regretterez rien, Monsieur Pineiss. D'ici peu je saurai vous remercier comme vous le méritez ! C'est comme si l'affaire était faite.

Scène 9
Projets de vengeance

(Dans la rue; Miroir, Hul.)

MIROIR : Ah, bonheur ! Jamais la rue ne m'a semblé si belle et agréable. Je vis ! Je vis ! Je suis là, entier, chair, os et... graisse ! Je n'ose y croire. Joies, cent mille joies !

HUL *(essoufflé)* : Miroir, Miroir ! Tu ne vas pas partir sans me dire adieu ?

MIROIR : Mon bon Hul, mon frère, qui parle d'adieu ?

HUL : Tu vas partir et me laisser seul, pour toujours peut-être. Aurais-tu oublié de saluer ton ami ?

MIROIR : Partir ? Mais je reste, Hul, je reste ! Je veux tenir toutes mes promesses !

HUL : Comment ? Tu ne veux pas te sauver ?

MIROIR : Pas le moins du monde !

HUL : Je ne donne pas cher de ta peau quand Pineiss s'apercevra que tu l'as trompé !

MIROIR : Trompé, moi ? Pas du tout ! J'ai seulement changé un peu la vérité.

HUL : Un peu !... Toute cette histoire de trésor, de femme belle et bonne...

MIROIR : Je dois bien quelque reconnaissance à ce cher Pineiss, non ?

HUL : De la reconnaissance après ce qu'il t'a fait ?

MIROIR : Oh, trois fois rien ! Il m'a enfermé dans une cage, m'a menacé de me couper la tête et de me faire bouillir dans sa marmite après m'avoir ôté la peau. Bagatelle !

HUL : Bagatelle ?

MIROIR : Ce ne sont que de petites taquineries dont j'ai grande envie de le récompenser !

HUL : Que veux-tu dire ?

MIROIR : Me menacer moi, Miroir, avec un couteau ! Je veux le remercier comme il le mérite. Je veux me venger, Hul !

HUL : Te venger ? En lui donnant de l'or ? Je ne comprends pas !

MIROIR : A nous deux, Pineiss. A présent tu vas payer !

HUL : Explique-toi donc !

MIROIR : Tu vas vite comprendre.

HUL : L'or n'existe pas ?

MIROIR : Oh si ! Il existe et je sais où il est. Mais ce n'est pas du tout l'or de ma maîtresse.

HUL : D'où provient-il ?

MIROIR : Un soir que je me glissais dans les fourrés du jardin, non loin du puits, j'entends des chuchotements. Je m'approche. Deux hommes sont là, près du puits, enveloppés dans des manteaux noirs. J'entends le plus grand qui dit à l'autre : « Cachons l'or ici. Nous reviendrons le prendre plus tard, quand l'affaire sera oubliée. » L'autre lui répond : « J'ai peur, Hans ! Nous n'aurions pas dû tuer cet homme ! » Et l'autre de répliquer : « C'était le seul moyen de nous emparer de son or. » Le petit tremblait de tous ses membres : « C'est un bien mal acquis, Hans ! Cet or portera malheur à qui le touchera... » « Tais-toi, oiseau de mauvais augure, ou je te tords le cou à toi aussi pour t'empêcher de chanter ! » A ces mots, ils se sont éloignés. J'ai sauté sur la margelle du puits et j'ai vu la cassette qui brillait au fond.

HUL : Ces deux hommes étaient des assassins et des voleurs...

MIROIR : Oui, et l'or qu'ils ont dérobé en tuant un homme portera malheur à qui s'en servira.

HUL : Je vois où tu veux en venir.

MIROIR : C'est un joli cadeau à faire à Pineiss, non ? Dès qu'il touchera cet or, il sera accablé de toutes sortes de misères ! Quel régal ! Je me sens comblé d'aise rien que d'y penser.

HUL : Soit. L'or est un porte-malheur et il plongera Pineiss dans l'adversité. Je le veux bien. Mais la femme ? Tu lui as promis une femme belle et bonne...

MIROIR : J'ai ma petite idée là-dessus.

HUL : Que penses-tu faire, dis-moi ?

MIROIR : Regarde, Hul, la lune pleine et ronde. Ne sens-tu pas sa bonne odeur de pain chaud ?

HUL : Je ne sens rien.

MIROIR : Regarde, Hul, le sourire sur le visage de tous les passants. Je voudrais les caresser, me frotter à leurs jambes. La lune, Hul, m'inspire des pensées d'amour.

HUL : Nous voilà bien !

MIROIR : Parfum de lune, musique de lune... Garçons et filles, main dans la main, vont ensemble vers l'herbe douce des bords de la rivière. Regarde, Hul ! Eux aussi ont le cœur plein de pensées de lune.

HUL : Je n'ose bouger de peur de les effrayer.

MIROIR : Viens sur le toit, nous y serons libres.

HUL : Si tu veux rejoindre la chatte de la sorcière, ma présence n'a rien d'indispensable !

MIROIR : J'ai besoin de toi, Hul. Viens !

HUL : Dans ces conditions... J'ai le cœur trop tendre ! Diable de matou ! Dans quel pétrin va-t-il encore nous fourrer ?

Scène 10

Chasse à la sorcière

(Sur le toit; Hul, Miroir, la chatte, la sorcière. Hul, Miroir et la chatte tiennent un filet devant la fenêtre de la sorcière.)

HUL : Etes-vous certains qu'il n'y a pas de risques ?

LA CHATTE : C'est un coup assuré, mais il nous faudra être rapides.

HUL : Je n'aime pas ça, je n'aime pas ça !

MIROIR : Au lieu de gémir, tiens ferme le filet. Minuit approche.

HUL : Elle nous jettera un sort !

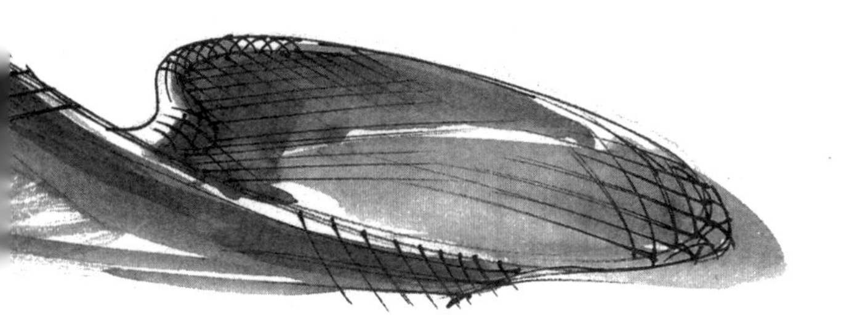

MIROIR : Elle ne peut rien contre nous. Seuls les hommes subissent ses maléfices.

HUL : J'ai peur. Allons-nous-en. Toi et tes maudites idées de vengeance ! Tu vas nous faire changer en statues de sel !

LA CHATTE : Prenez garde. La pendule du beffroi va sonner les douze coups !

(Les douze coups sonnent.)

LA CHATTE : Attention, la voilà !

(La sorcière sort sur son balai et se prend dans le filet.)

MIROIR : Ça y est ! Nous l'avons !... C'est vrai qu'elle est très belle cette nuit !

LA SORCIÈRE : Ah ! Par les mille diables d'enfer ! Je suis prise au piège ! Maudits ! Laissez-moi !

MIROIR : Alors, la belle, finie la promenade au clair de lune ?

LA SORCIÈRE : Un chat ! J'ai été bernée par un chat ! Veux-tu bien me libérer, matou miteux !

MIROIR : Tout doux ! Halte-là les injures ou je vous dénonce au bourgmestre et les soldats vous feront brûler sur la place publique pour exercice illégal de la sorcellerie !

LA CHATTE : Vous êtes en notre pouvoir !

HUL : Nous sommes les plus forts !

LA SORCIÈRE : Tu en es aussi, la Minette des gouttières ? Moi qui t'ai élevée, hébergée, nourrie... C'est comme cela que tu m'es reconnaissante ? Ah ! j'étouffe dans ce filèt ! Relâchez-moi tout de suite ! On m'attend au grand sabbat !

MIROIR : Tu n'y penses pas ? Il faut payer d'abord !

LA SORCIÈRE : Payer ? Il faudrait beau voir !

HUL : Payez ! Ahahah ! Nous sommes comme cela, nous !

LA SORCIÈRE : J'enrage !

MIROIR : Vous ne voulez pas payer ? Bon ! Je sens d'ici le bûcher que l'on allume sur la grand-place de la ville !...

LA SORCIÈRE : Arrête !... D'accord. Je paie.

MIROIR : A la bonne heure !

LA SORCIÈRE : Combien ?

MIROIR : Un mariage !

LA SORCIÈRE : Un mariage ?

MIROIR : Avec un homme riche et intelligent !

LA SORCIÈRE : Moi, me marier ? Impossible ! Je déteste les hommes !

LA CHATTE : Il faudra bien, pourtant !

HUL : Sinon, pftt ! Un beau feu d'artifice !

LA SORCIÈRE : Me marier avec qui ?

HUL : Un grand savant !

LA CHATTE : Un homme fortuné !

MIROIR : Le sorcier Pineiss !

LA SORCIÈRE : Pineiss ? Ce vieux grigou rabougri ! Jamais !

MIROIR : Il n'y a pas à discuter.

HUL : Il faut se résigner.

LA CHATTE : C'est ainsi !

MIROIR : Savez-vous qu'il est propriétaire d'une cassette pleine d'or ?

LA SORCIÈRE : De l'or ?

MIROIR : Dix mille florins en or qu'il garde en cadeau pour sa future épouse.

LA SORCIÈRE : Dans ces conditions…

LA CHATTE : Vous voyez bien ! Cela vaut la peine de réfléchir.

MIROIR : Vous êtes faits pour vous entendre !

LA SORCIÈRE : Mais il ne m'aime pas !

MIROIR : Belle comme vous l'êtes, il vous aimera.

LA SORCIÈRE : C'est un charme qui ne dure que vingt-quatre heures ! La nuit prochaine je redeviendrai vieille et laide comme avant !

MIROIR : Il faut donc vous dépêcher de vous marier.

LA CHATTE : Une fois que vous aurez l'or, le reste n'aura plus guère d'importance...

LA SORCIÈRE : Soit, je cède. Mais à une condition ! Après mes noces, vous disparaîtrez à tout jamais de ma vue. Je ne veux plus voir un chat ou un hibou sur mon passage !

MIROIR : Bien volontiers.

LA CHATTE : Nous nous ferons un plaisir...

HUL : ... de déménager !
(Ils la délivrent.)

LA SORCIÈRE : Que faut-il faire ?

MIROIR : Vous apprêter pour le mariage. Votre cher Pineiss vous attend !

Scène 11

Le jeune marié se prépare

(Dans la rue, Pineiss.)

PINEISS : Ouïlle ! Mes souliers me font mal. Bah ! Il faut souffrir pour être beau. Mon habit est superbe, non ? Je l'ai acheté d'occasion au fripier de la rue des Chats-Bossus. A peine deux florins. Mais il fait son petit effet. Il en jette plein la vue. Je trouve que sa couleur me rehausse le teint. Et ces petits rubans ici ne font pas mal du tout. Oh ! Un trou dans mon gant ! Je garderai la main fermée, elle ne s'en apercevra pas.

Dieu que je suis impatient de la rencontrer ! Le notaire est prévenu. Miroir lui a remis la cassette.

Ciel ! J'ai oublié... Ah non ! Les voici ! Nos alliances ! Une pour moi et cette autre, plus petite, pour la main mignonne de... ma femme ! Ma femme ! Hi ! hi ! hi ! Je n'en reviens pas ! Un vieux célibataire comme moi. Ma femme !... Coquin, va ! Te marier à ton âge !...

Mon chapeau est-il bien posé ? Peut-être un peu plus sur le côté ? Là ! Cela me donne un air plus martial. Par ailleurs, si je le mets comme ceci, j'ai l'impression que ça me rajeunit, non ? Quel embarras ! Je me suis fait raser chez le barbier et... il m'a inondé d'un parfum irrésistible ! Hi ! hi ! hi !... Il paraît que si ma femme le respire,elle me tombera dans les bras, transportée d'amour ! Hi ! hi ! hi ! Ma femme, ma petite femme !...

Ah ! Nous y voici ! Je transpire, on dirait ? Pineiss, du courage ! Tu es un homme intelligent. Rien ne devrait te faire peur ! Pourtant... Je n'ose entrer. Ils doivent tous être là à m'attendre et je n'ose entrer. Si c'était un piège ? Si ce maudit Miroir... Allons, trêve de pessimisme ! Il faut y aller, Pineiss. Les dés sont jetés !...

Scène 12

La nuit de noces

(Chez Pineiss: le notaire, la sorcière, Pineiss, Miroir, Hul, la chatte.)
(Pineiss entre.)

LE NOTAIRE: Sur une seule journée?

MIROIR: Eh oui! C'est une décision rapide, il est vrai, mais Monsieur Pineiss est un homme intelligent et qui sait ce qu'il veut!

PINEISS: Tout juste, tout juste! A mon âge on n'a que faire des longues fiançailles. Mais... où donc est ma promise?

HUL: La voici!

PINEISS: Madame... euh... Mademoiselle... euh... je... c'est-à-dire... Voilà un grand jour... euh... *(Au public:)* Ce qu'elle est belle! Je suis le plus heureux des hommes!

La sorcière *(au public)*: Ce qu'il est laid! Heureusement qu'il a de l'or, sinon... *(A Pineiss:)* Je suis ravie, Monsieur, de vous connaître enfin et plus ravie encore de devenir votre femme.

Pineiss *(au public)*: Quelle éducation! Comme elle a dit cela! *(A la dame:)* Tout l'honneur est pour moi, Mademoiselle!

La sorcière *(au public)*: Quel sot! *(A Pineiss, saluant:)* Je suis votre servante.

Pineiss: Ma femme, ma femme!... Je ne veux plus retarder d'une minute le plaisir d'être votre époux. Où est le contrat?

Miroir: Ici même.

Le notaire: L'encre n'est pas encore sèche.

HUL : Une petite signature et le tour est joué !

MIROIR *(saisissant le papier)* : Tenez, signez ici, Monsieur Pineiss.

LE NOTAIRE : Veux-tu laisser cela ! C'est mon travail.

HUL : Il est si impatient de les voir heureux !

LA SORCIÈRE : Euh... Et la dot ?

PINEISS : Cest juste. Où est le cadeau de mariage ?

LA CHATTE : Le voici.
(Pineiss se jette sur la cassette.)

LE NOTAIRE : Allons, allons, Monsieur Pineiss. Il faut d'abord établir le contrat. Dix mille florins en or, c'est une jolie somme.

LA SORCIÈRE : Donnez-moi une plume.

(Pineiss arrache une plume à Hul.)

HUL : Ouille !

PINEISS : Où faut-il signer ?

LE NOTAIRE : Ici et... ici. Je vous déclare mari et femme et vous remets comme convenu cette cassette pleine d'or.

LA SORCIÈRE *(prenant la cassette)* : Merci.

PINEISS : Laissez cela, c'est beaucoup trop lourd pour vos jolies mains.

LA SORCIÈRE : Ne prenez pas cette peine. Il est d'usage que la femme s'occupe des affaires du ménage.

MIROIR : C'est juste, Monsieur Pineiss.

LA CHATTE : Elle a raison.

PINEISS : Vous croyez ?

HUL : C'est certain.

LE NOTAIRE : Je vous présente mes meilleurs vœux de bonheur. Longue vie et beaucoup d'enfants !

PINEISS *(au public)* : Des enfants ? Ce n'était pas prévu dans le contrat. Je déteste les enfants. C'est sale et ça fait du bruit.

LE NOTAIRE : Je vous laisse. Une autre affaire m'appelle. Au revoir.

TOUS : Au revoir.

PINEISS : Maintenant que nous sommes seuls, maudit matou, tu vas me faire le plaisir de débarrasser le plancher.

MIROIR : Est-ce ainsi que vous me traitez, Monsieur Pineiss, après ce que j'ai fait pour vous ?

LA SORCIÈRE : Mon mari a raison. Je déteste les chats et les hiboux aussi. Tous dehors !

PINEISS : Dehors, dehors !

MIROIR : Eh !

LA CHATTE : Ne me touchez pas !

HUL : Pas si vite !

MIROIR : C'est trop fort !

LA CHATTE : Nous nous plaindrons !

HUL : Vingt ans de bons et loyaux services !

LA SORCIÈRE : Dehors, dehors !

(La sorcière et Pineiss restent seuls. Quelques secondes plus tard, on voit se profiler à la fenêtre trois têtes qui écoutent.)

PINEISS : Ma douce, il n'y a plus que toi et moi.

LA SORCIÈRE : Ciel ! Où veut-il en venir ?

PINEISS : Donne-moi donc un petit baiser !

LA SORCIÈRE : Là ? Maintenant ?

PINEISS : Un tout petit petit… La nuit approche. Il est temps de nous mettre au lit.

LA SORCIÈRE : Laissez-moi me préparer.

PINEISS : Bien sûr, ma toute belle. Je peux attendre ! Nous avons toute la vie devant nous !…

(La sorcière disparaît derrière le lit à rideaux.)

PINEISS : Sans doute veut-elle mettre une chemise de dentelle pour mieux me séduire ? Hum ! Elle est adorable ! Quel visage ! Quelle bouche ! Quelle gorge ! Quels cheveux ! Tu en mets du temps, mignonne !… Ton mari t'attend !…

LA SORCIÈRE : Voilà, voilà !

(Elle ressort en vieille.)

PINEISS : Ciel ! Que vois-je ? Qui êtes-vous ?

LA SORCIÈRE : Ta femme, vieil imbécile !

PINEISS : Ma femme ? Mais je… mais…

LA SORCIÈRE : Tu as signé le contrat !

PINEISS : Je divorce ! Immédiatement ! Je divorce ! Notaire !…

LA SORCIÈRE : Tu oublies que nous ne pouvons garder l'or que si nous sommes mariés !

PINEISS : L'or ? Hélas ! Je n'y pensais plus !

LA SORCIÈRE : Songes-y, mon mignon. Nous sommes liés l'un à l'autre à tout jamais.

PINEISS : Qu'ai-je fait ?

LA SORCIÈRE : Je trouve cette chambre un peu sale pour y passer ma nuit de noces. Tu vas me faire le plaisir de balayer.

PINEISS : Balayer ?

LA SORCIÈRE : Sur-le-champ ! J'ai horreur de la poussière. Dépêche-toi !

PINEISS *(balayant)* : Maudit chat ! Si jamais je t'attrape !...

LA SORCIÈRE : Inutile de grommeler ! Travaille !

Scène 13
Le départ

(Dans la salle : Hul, Miroir, la chatte.)

MIROIR : Il a balayé toute la nuit !

HUL : Au matin, il s'est endormi d'épuisement ! Hi ! hi ! hi ! Je pleure à force d'en rire.

MIROIR : Amusez-vous bien, Monsieur Pineiss !

LA CHATTE : Il fait beau.

MIROIR : Nous avons l'été devant nous.

HUL : Nous verrons du pays.

MIROIR : Nous trouverons bien, avant l'hiver, quelque ferme hospitalière où l'on a besoin de croqueurs de souris.

LA CHATTE : C'est le temps des moissons.

HUL : A nous trois, nous sommes les plus forts.

MIROIR *(à la chatte)* : Ne regretteras-tu pas cette ville ?

LA CHATTE : Jamais puisque je pars avec toi.

HUL : Regardez ! C'est le matin mais l'on devine encore la lune.

LA CHATTE : Elle est toute pâle.

MIROIR : Elle nous dit adieu. Lune rousse, c'est lune d'amour, lune d'argent, c'est l'aventure. Allons ! Les chemins des bois nous attendent !

Pour le jeu dramatique

Les personnages et leur costume

Les animaux de la pièce sont en fait très humains et parlent un langage «châtié». Seule la chanson des chats rappelle phonétiquement le «miaou» animal. Les costumes et la gestuelle ne signaleront donc les animaux que de manière discrète (par exemple cagoule avec oreilles et maquillage pour les chats, lunettes avec bec pour le hibou). Dans la mesure où les personnages rappellent par de nombreux traits les types de la comédie italienne, le jeu avec masque serait bien venu, mais il est difficile sur le plan technique et convient mal aux acteurs débutants.

Pour les personnages humains toutes les fantaisies sont possibles. Pineiss est d'abord habillé en magicien. Lorsqu'il s'habille en jeune marié, son costume est à la fois excessif et ridicule. La sorcière doit être reconnue sous une double apparence. Il faut donc prévoir quelques éléments à la fois significatifs et susceptibles d'être ôtés et ajoutés rapidement: coiffe, faux nez, tablier, etc.

Le décor

L'aspect parodique de la pièce permet toutes les fantaisies dans le décor et les costumes. L'indication de temps (XVIe siècle) est approximative. Les situations peuvent être transposées à n'importe quelle époque et l'on peut jouer sans risque avec les anachronismes.

La pièce est conçue pour que les scènes s'enchaînent rapidement, d'où l'avantage que représente l'utilisation d'un décor simultané. Dans le cas, par exemple, d'une scène classique à l'italienne, on divise le plateau en trois zones, caractérisées par l'éclairage:

Elle peut être très petite. Une solution simple consiste à utiliser un système de paravents reliés entre eux par des gonds articulés à l'aide de goupilles amovibles (voir croquis).

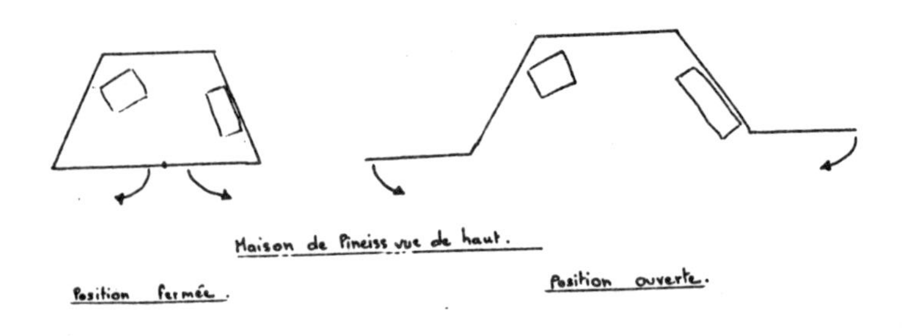

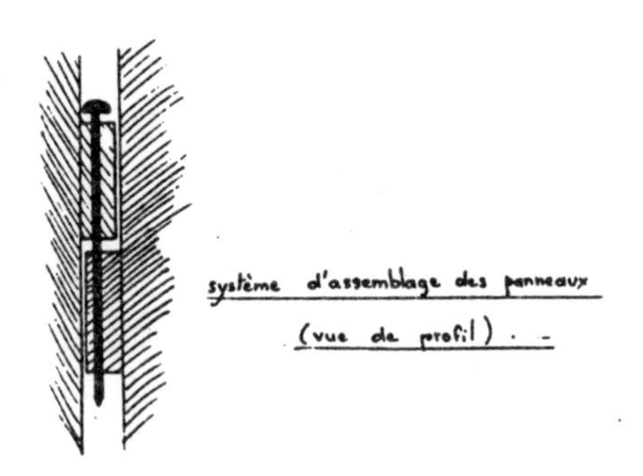

Les paravents refermés forment une boîte de section trapézoïdale qui a l'aspect d'un bloc de maçonnerie lorsqu'on veut figurer les toits. L'intérieur de ce bloc, une fois ouvert, représente la maison de Pineiss. On confectionne ce genre de paravents à l'aide de cadres de bois très légers, tendus de jute et peints à convenance. En l'occurrence, on peut figurer des étagères à bocaux, des cornues, des alambics, etc..., le tout très sale, couvert de poussière et de toiles d'araignées. Le panneau du fond peut être découpé dans du contre-plaqué. Cette solution permet de figurer une porte fermée par un rideau donnant vers l'intérieur de la maison et règle ainsi le problème des entrées et des sorties des personnages.

Les toits

Lorsqu'on dispose de gros moyens, on utilise des plans inclinés qui permettent de varier les utilisations de l'espace. Une toile de fond peinte suggère la silhouette d'une ville la nuit. Il faut obligatoirement figurer la maison de la sorcière et la fenêtre par laquelle elle va sortir (pas trop haute, par conséquent !). Un paravent découpé et peint peut faire l'affaire. Des cheminées posées sur la scène, du linge qui pend, etc... aident à représenter les toits.

La rue

Elle peut être simplement figurée par une bande de moquette en front de scène. On peut également jouer les scènes de rue dans la salle, au milieu des spectateurs. Attention dans ce cas à la visibilité.

Lorsqu'on utilise un décor simultané, *l'éclairage* est très important. Tous les éléments du décor sont en effet présents sur la scène. L'éclairage fixe l'attention du spectateur sur tel ou tel point précis de l'espace. La partie du décor qui ne sert pas reste dans le noir. La maison de Pineiss, par exemple, doit être bien cadrée. Pour les scènes de rue, une poursuite (projecteur spécial à faisceau très net) permet d'isoler un acteur ou un groupe d'acteurs. Un éclairage de nuit (obtenu avec des gélatines bleues) est indispensable pour les scènes qui se déroulent sur les toits. La lune peut être figurée par une personne réelle qui dit son texte ou par un faisceau en forme de croissant, etc... obtenu en découpant une feuille métallique et en la fixant devant un projecteur. Dans ce cas, le texte de la lune peut être dit en voix off et amplifiée.

Un *thème musical* aide à marquer les changements de lieu et de temps.